스택(Stacks)[1]

알파벳 순서로 정리한 월면(月面) 바다 스택

마레 알리오룸(Mare Aliorum)   타인들의 바다

마레 암불라티오니스(Mare Ambulationis)   산책의 바다

마레 앙귀스(Mare Anguis)   뱀의 바다

마레 아우스트랄레(Mare Australe)   남쪽의 바다

마레 크리시움(Mare Crisium)   위난의 바다

마레 도르미엔디 누디테르(Mare Dormiendi Nuditer)   잠든 벌거숭이의 바다

마레 프리고리스(Mare Frigoris)   추위의 바다

마레 훔볼드티아눔(Mare Humboldtianum)   훔볼트의 바다

마레 후모룸(Mare Humorum)   습기의 바다

마레 임브리움(Mare Imbrium)   비의 바다

마레 루나이 콰이스티오눔(Mare Lunae Quaestionum)   달 수수께끼들의 바다

마레 마르기니스(Mare Marginis)   연변의 바다

마레 모스코비엔세(Mare Moscoviense)   모스크바의 바다

마레 넥타리스(Mare Nectaris)   감로주의 바다

마레 녹테 암불라티오니스(Mare Nocte Ambulationis)   밤 산책의 바다

마레 누비움(Mare Nubium)   구름의 바다

마레 오리엔탈레(Mare Orientale)   동쪽의 바다

마레 페르소나룸(Mare Personarum)   가면의 바다

마레 포이니키(Mare Phoenici)   페니키아의 바다

마레 포이니콥테로룸(Mare Phoenicopterorum)   플라밍고의 바다

마레 푸도리스(Mare Pudoris)   치욕의 바다

마레 렐릭툼(Mare Relictum)   디트로이트의 바다

마레 리덴스(Mare Ridens)   웃음의 바다

마레 스미티이(Mare Smythii)   스미스의 바다

마레 스푸만스(Mare Spumans)   거품의 바다

마레 템페스티비타티스(Mare Tempestivitatis)   프랭크 오하라가 '다정한 여름
                                                                같은 더 큰 소심함의 심술궂은
                                                                실밥들'이라고 부르는 것의 바다

마레 비투페라티오니스(Mare Vituperationis)   비난의 바다

새 한 마리가 착각이라도 한 듯 번개처럼 지나갔고
그러면 시작이다. 우리는 생의 속도를 생각하지 않
는다. 우리는 왜 이세벨[2]을 미워하는지 생각하지 않
는다. 우리는 집에 나무들을 집어던지는 저치는 누
구인지 생각한다. 이세벨은 페니키아인이었다. 페니
키아의 뇌우는 건조하고 위협적인데, 비틀려 회전하
는 타원들로서 하나가 다른 하나 안에서 나온다.

스택 정의의 스택

들판에 세워두는 대체로 원뿔형으로 쌓은 (건초 등의)
큰 무더기

큰 수량 또는 숫자

특히 108입방피트(약 3세제곱미터)에 해당하는
장작을 셀 때 쓰는 영국의 도량형

(연기를 내보내는 용도 등의) 수직 관

내연기관의 배기관

라이플총 세 자루를 모아 세운 피라미드

책을 수납하는 용도로 쓰이는 대체로 복수인
조밀한 책장 구조물

포커 노름꾼이 사거나 딴 칩 무더기

'후입선출' 구조 또는 LIFO(last in first out)
구조라고도 불리는 가장 나중에 넣은
객체가 제일 위에 자리해 가장 먼저
빠져나가며 기본적인 작업으로는 자료를
넣는 '푸시(push)'와 자료를 꺼내는
'팝(pop)'이 있는 데이터 구조

스케이트 타다 넘어지기

부끄러움 스택

부끄러움은
죄책감과 달리
남의 시선을 요구한다
디셉 사람 엘리야의 눈은
이세벨에게서 부끄러워할 것이
많은 사람을 보았다. 부끄러움과 자비
간에는 연관이 있어서 하나가 부족한 사람은
다른 것도 부족하다. 이세벨의 곁에서는 누구도
느긋할 수 없었다. 정신분석가들은 말한다 부끄러움이
공상 능력을 망친다고 마음에 균열을 내서 생각이 돌아다니기에
위험한 곳으로 만들기 때문이다. 결국에는 다른 이도 아닌 이세벨의 환관들이
그녀를 흉벽 밖으로 집어던진다. 이세벨의 피가 성벽과 말들에 묻어 있다.

부끄러움 스택 다시 쌓기

정신분석학자들과 환관들 간에는 연관이 있어서,

균열이 누구도 결핍될 리 없다면
그 말은

피를 타인들은 생각하리라.

다시 쌓인 부끄러움 스택 다시 쌓기

이세벨은
당신의
마음에서
정신분석학자들을
뜯어내고
결핍의
결핍을
망가뜨릴 수 있으리라.

뇌우 스택

나는 뇌우가 피아노 연주하는 것을 지켜본다 이건
스비야토슬라프 리흐테르다. 시선을 돌리거나 새들이
급강하하는 섬을 보지 마라. TV에서조차 피아노
건반들은 그의 손에 간신히 매달려 있을 뿐이다.

돌선대선창(rockstockdock) 스택

배를 수선해야 하나요?
정확하게 배와 똑같은 길이로 참호를 파세요.
배를 옆으로 치우세요.
참호 바닥에 단단하게 돌을 까세요.
돌바닥을 가로질러 일렬로 선대(船臺)³를 놓으세요.
참호에 물을 흘려 넣으세요.
배를 다시 제자리로 옮기세요.
이제 당신은 페니키아인이고
방금 건선거(乾船渠)⁴를 발명했습니다.
이제 배 밑에서 배를 수선할 수 있습니다.
건선거는 '후입선출' 구조 또는
LIFO
사례가 아닙니다.

굴뚝-연기 스택

말이란 무엇인가에 관한 질문.

바위에 새겨진 명문을 생각해보라.

당신은 바위에 새긴 자국을 말이라 할 텐가 아니면 자국 주변의 바위를
말이라 할 텐가?

책의 한 페이지를 생각해보라.

말은 잉크인가 아니면 이 잉크의 모양을 담고 있는 종이인가?

얼굴을 생각해보라, 아니다 얼굴에다 무얼 새길 수는 없다.

호메로스가 말했을 듯한 문장이 새겨진 당신 마음의 서판들을 생각해보라.

엘리야는 예언자인 덕분에 마음이 하나의 커다란 베인 자국이라서
이세벨이라는 단어가 깜짝 파티에서 일순간에 무너져내리는 불붙은 지붕
들보들처럼 그 틈으로 떨어지는가?

동물권 스택

한 페니키아인이 처음으로 '고릴라'라는 단어를 기록했다.

기원전 6세기에 카르타고에서 출발하여 아프리카 서부 해안을 따라 여행했던 항해자 한노[5]였다.

그의 항해일지에는 이런 항목이 있다. "우리는 야만인의 섬으로 왔다. 대부분은 몸에 털이 많이 난 여자들이었고 우리 통역자들은 그들을 '고릴라'라 불렀다. 그들을 쫓았으나 수컷은 나무를 잘 타서 하나도 잡지 못했다. 여자 셋을 붙잡았는데 물고 할퀴었다. 그래서 죽여 가죽을 벗겨서 고향으로 가지고 돌아왔다."

로마가 카르타고를 멸망시킬 때까지 카르타고의 타니트 사원 안에 그 고릴라 가죽들이 전시돼 있었다고 대(大)플리니우스[6]가 증언한다.

언어학자들에 따르면 '고릴라'라는 단어는 콩고어로 '맹렬하게 제 몸을 치는 강력한 동물'을 뜻한다.

행상인 스택

페니키아인들은 상업에 종사하는 사람들이었고, 다음과 같은 품목을 거래했다. 금속,
무기,
타조알,
구두끈,
호각,
견과,
표범,
알파벳 글자.

그들이 일파벳을 발명했다.

그들이 알파벳순을 발명했다.

그들은 상업적 거래에 이 발명품을 이용했는데 그 거래 기록은
봉투
뒷면
같은
곳
에
끼적여졌고
그러고는
역사
에서
사라졌다.

그리스인들이 페니키아인들에게서

그
알파벳을
훔쳐
몇 글자를 더하고는

                                            앉아서
                              서구 문명의 고전들을 썼다.

차갑고
맑고
푸른
것은
아침
이었다.
  '이세벨(Jezebel)'은 '아이스크림(ice cream)'과 '카르마(karma)' 사이 서류철에
정리돼 있다.

뇌우 스택

휘몰아치는 바람이 나무와 밤을
퍼붓는다. 큰 가지들이 창문을 두드린다. 발바닥들이
계단에 자국을 남긴다. 문이 쾅쾅 닫히고, 탁자가 넘어지고,
유령들은 발코니에서 제 시계를 내던진다.
내 걸 줘! 이세벨이 말했다. 한 문장 한 번의 —
뜸 당신은 들을 텐가 그 소리로 순식간에 늙어가면서.

행뇌상우인 다시 쌓기 스택

발이 역사에서 사라졌다. 휘몰아침이 사라졌다. 나를 거래하는 페니키아인들은 이세벨이
창가에서 늙어간다고 말했다.

무엇이 이세벨을 이세벨로 만들었는가 스택

아드레날린.

좁은 사회라는 조건의 가늘고 긴 압박.

그녀의 아버지 그 굉장한 자주색 눈썹.

서구 사람들이 동양에서 온 것이라면 어느 것에서나 느끼는
또는 북반구 사람들이 남반구에서 온 것이라면 어느 것에서나 느끼는 또는
기타 등등의 역사적 불신.

또 쌀에서
작은 돌
골라내기.

내 안에 있는 이 존재의 흐름 (그녀가 말했다).

결국은 개들이 이세벨의 피를 핥게 되리라 했고 그렇게 된 엘리야의 예언.

그녀의 뷰익 자동차가 새벽녘 얼어붙은 해에 내뿜는 금빛 매연.

뇌우 스택

우레 따위 알 게 뭐람?
소리를 내는 문제.
우리 사는 동안에 소리 내기.
에밀리 브론테(Brontë)의 성은 가짜
움라우트 기호로
알 수 있듯이 창작품이다.
번개.
날카로운 소리.
틀린 악센트.
알 게 뭐람?
내가 소리를 내지 않는다면.
당신이 내 소리를 듣지 않는다면.
그녀의 아버지가 그걸 만들었다.
브론테(BRONTE)는 우레를 뜻하는 고대 그리스어 단어라고 다른
에밀리[7]가 들었다.
"브론테가 천국에 들어선 오후는 얼마나 대단했을까!" (그렇게 그녀는 썼다).
천국은
'후입선출' 구조 또는 LIFO의 사례가 아니다.

그랜드스택

베르길리우스나 퍼셀[8]의 작품으로 알게 되었을 비극적으로 유명한 카르타고의 여왕 디도는
티루스의 왕 바알-에세르 2세의 손녀이자 이세벨의 종손녀다.
어째서인지 이세벨을 누군가의 종조모로 생각하기가 쉽지 않다.
우리가 확실하게 말할 수 있는 한 가지는
이세벨이 부엌에 '쓰기에 너무 짧은 끈 조각'이라는
물표가 붙은 서랍을 두는 그런 종류의
종조모는 아니었다는 사실이다.

다시 쌓기는 집계하지 않는 집계 스택

모든 것의 진짜 가격 스택

에이커당 28.95달러로
달 토지를 구매할 수 있다. 지구의 잘나가는 달 부동산 중개업체
'리얼 문'의 소재지인 5번가 244번지(1070호)로
가보라. 중개사들이 무지개만(灣)이나 유명한 마레 트랑퀼리타티스와
바로 붙은 마레 임브리움(비의 바다)
한 에이커를 기간 한정 37.50달러 특가로
사라고 권할 것이다. 소유권 꾸러미에는
인쇄된 양피지 증서와 위성사진과
지리 정보가 포함돼 있다. 달은 재빠르게 '후입
선출' 구조 또는 LIFO가 되고 있다.

"왜 다윈이 우리에게 알려주지 않은 모든 달콤함에는 도둑 요소가 동반될까요?"
에밀리 디킨슨이 1871년에 홀랜드 부인에게 보낸 편지에서.

당신에겐 삼백
분의 일로
번개 맞을 확률이 있지
번개 뒤에는 언제나
우레,
당신 일생에.

러시아의 피아니스트 스비야토슬라프 리흐테르가 1953년에 소비에트 당국으로부터
스탈린의 장례식에서 조의를 표하는 짧은 곡을 연주하라는 지시를 받았을 때,
그는 대신에 바흐의 프렐류드와 푸가 E단조를 연주하고 무대 뒤로 끌려갔다. 적어도
그에 관해서 그런 이야기가 자꾸 나돈다. 리흐테르는 헛소문이라고 말한다.

이모와 재미있게 프루스트 얘기를 나누는 중이었는데, 이모가 자꾸 등장인물들의
이름을 잘못 발음하시기에 혹시나 민망하실까 봐 나도 틀리게 발음하다 보니
나도 이젠 뭐가 뭔지 모르겠다는 기분이 들기 시작했다.

디트로이트시의 모든 쓰레기는 짓는 데 4억 3,800만 달러가 들고 유지하는 데 매년 7,000만 달러가 소요되는 도시 심장부에 있는 소각로에서 매일 소각된다. 1991년에 시가 시설을 유지할 수 없게 되자 필립모리스사에 소각로를 팔았고 필립모리스사는 채권 대금이 완전히 상환되는 2019년에 소각로를 다시 디트로이트시에 매각할 예정이다. 1988년부터 운영 중이지만 소각로는 아직 공식적으로 운영을 개시하지 않았는데, 매년 운영 허가를 받는 데 필수 요건인 주에서 시행하는 유독성 검사를 통과하는 데 실패하기 때문이다. 굴뚝은 비소와 카드뮴, 일산화탄소, 크롬, 다이옥신, 납, 수은, 이산화황, 유독성 재를 배출한다. 그 시설이 계획 단계에 있을 때 웨인카운티 공해관리위원회는 그 시설이 디트로이트시 연간 사망률에 500건의 사례를 추가할 것이라고 추산했다. 그 정도는 감수할 만한 부수비용으로 여겨졌다. 필립모리스사는 1991년부터 2019년까지 소각로를 소유하는 대가로 2억 달러에 달하는 환경오염세를 공제받을 것이다.

어떤 것을 정말로 잊으려면 잊었다는 걸 잊어야 한다.

그녀는 라이커스섬에서 얼굴이 끔찍한 흉터로 뒤덮인 여자들을 만났다. 포주들이 배신행위에 대한 단죄와 주술적 목적으로 불에 달군 철사 옷걸이로 그들을 난자했던 것이다.

"사람들이 여자의 장사를 지내주려고 찾아 나섰으나
여자의 해골과
손발 외에는
아무것도 발견할 수 없었다."
(『열왕기하』 9장 35절)

최종 진짜 가격 다시 쌓기

적어도 두 손바닥.
적어도 이 이야기는 되풀이하여 얘기된다 (이세벨들에게는
37.50달러가 새겨져 있다).
그리고 당신에겐 당신의 폐허에서 놀라움에 매달릴 삼백 분의 일 확률이 있다.

갑
작
스
러
운

침
묵
들

제
로

.

¹ 스택(stack)은 낟가리, 큰 숫자, 장작을 세는 단위, 더미, 서가(書架), 굴뚝, 후입선출 방식의 데이터 구조, 착륙 지시를 기다리며 공항 주변을 선회하는 비행기들 등 여러 의미가 있다. 이 소책자는 저자가 다양한 의미로 쓴 stack(s)에 관한 글들을 한데 묶었다. 스택의 의미에 관해서는 본 소책자에 수록된 '스택 정의의 스택'을 참조하기 바란다.

² 이세벨(Jezebel)은 구약성경에 나오는 인물로 페니키아 왕 엣바알의 딸이자 이스라엘 7대 왕 아합의 아내였다. 페니키아에서 섬기는 바알 신을 숭배하여 이스라엘에서 유대교 선지자들을 죽이는 데 앞장섰으며 장로 예후가 혁명을 일으켰을 때는 자기 손자인 이스라엘 9대 왕 요람을 포함하여 의붓아들 70명을 죽였다. 선지자 엘리야의 예언대로 환관들에 의해 창밖으로 던져져 살해됐다.

³ 선대(船臺)는 배를 만들 때 선체를 올려놓고 작업하는 대를 말한다.

⁴ 건선거(乾船渠)는 배를 건조하거나 수리할 때 배가 출입할 수 있도록 땅을 파서 만든 구조물이다. 물을 채우고 배를 들인 후에 입구의 문을 닫고 물을 뺀 다음 작업한다. 영어로는 dry dock이라고 한다.

⁵ 기원전 3세기에 지중해 패권을 놓고 로마와 대립하며 포에니전쟁을 치른 카르타고는 페니키아인들이 지중해 연안 곳곳에 세운 식민 도시 중 하나로 지금의 북아프리카 튀니지 해안 지역에 건설되었다. 역사상 한노라 불리는 세 명의 지도자가 있는데, 항해자 한노라 불리는 이는 두 번째 인물이며 귀족 가문 출신으로 기원전 5세기에 아프리카 서부 해안을 따라 항해하며 여러 곳에 식민 도시를 세웠다.

⁶ 가이우스 플리니우스 세쿤두스는 기원후 1세기 고대 로마의 정치가인자 군인, 박물학자로 로마 제국의 해외 식민지 총독을 역임했고, 백과사전인 『박물지』를 저술하기도 했다. 함대 사령관으로 재직하던 중 베수비오 화산 폭발로 인한 유독 가스 흡입으로 사망했다. 양자로 삼은 조카 가이우스 플리니우스 카이킬리우스 세쿤두스와 구별하기 대(大) 플리니우스로 부른다.

⁷ 시인 에밀리 디킨슨을 말한다.

⁸ 헨리 퍼셀(Henry Purcell, ?1659~1695)은 영국의 작곡가로 영국 바로크 음악의 독창적인 작풍을 만들었다는 평가를 받는다. 대표작으로 오페라 〈디도와 아이네이아스〉가 있다.